Dyma Twm Tri.

Helo, Twm Tri! Sut wyt ti?

Mae Twm Tri yn hapus iawn. Mae o'n chwarae gyda'i ffrindiau gorau, Deio Dau a Pedr Pedwar.

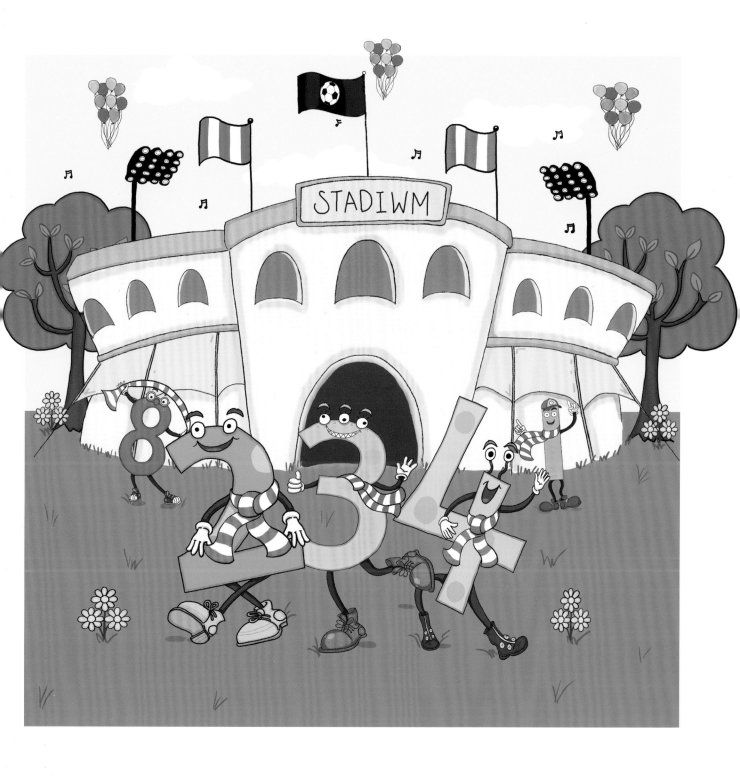

Mae Twm Tri yn mynd i weld gêm bêl-droed gyda'i ffrindiau. Hwrê! Mae Twm Tri wrth ei fodd gyda phêl-droed!

Mae Twm Tri yn mynd i brynu diodydd.
"Ga'i dri, os gwelwch yn dda?"

"Dyna chi!" Ond... O diar! Faint o
ddiodydd sydd gan Twm Tri nawr?

Un... dau... tri... pedwar!

Mae pedwar cwpan yma! O diar!

Mae Twm Tri yn rhoi un ddiod yn ôl i'r dyn.
Faint sydd ar ôl?

Un... dau... tri! Hwrê!

Mae'r gêm bêl-droed yn hwyl. Mae tîm
Twm Tri, yr Odrifau, yn sgorio unwaith...
ac eto... ac eto! Tair gôl! Hwrê!

Ar y ffordd adref, mae Twm Tri yn
gweld tri ymhob man! Dyna dri bachgen
ar gefn eu beiciau. Mae tair cacen
yn ffenest y siop.

Ydych chi'n gweld pethau eraill
sy'n gwneud 3?

Hwyl fawr i ti, Twm Tri!
Wela i di cyn hir!

cacen
sbwng £3

tarten cyrens
duon (gyda hufen)

cacen gaws
(lemwn)

Ydych chi'n gallu
dod o hyd i'r rhif
3 o'ch cwmpas chi?